À Maëlle, notre petite elfe...

*Le Syndrome de Williams est une maladie génétique orpheline touchant des milliers d'enfants de par le monde.
Ces chérubins aux visages d'elfes sont des enfants extraordinaires.
Azuro leur est dédié, ainsi qu'à leurs parents...*

Responsable éditoriale : Maya Saenz-Arnaud
Responsable studio graphique : Alice Nominé ; Mise en pages : Mylène Gache
Responsable fabrication : Jean-Christophe Collett ; Fabrication : Virginie Champeaud
Correctrice : Catherine Rigal

ISBN : 978-2-7338-5114-2
Dépôt légal : août 2017.

www.auzou.com

Rejoignez-nous sur Facebook et suivez l'actualité des Éditions Auzou.
 www.facebook.com/auzoujeunesse
www.facebook.com/azurobleu

Azuro
à l'école des monstres

Texte de Laurent et Olivier Souillé
Illustrations de Jérémie Fleury

AUZOU

Morgane avait invité ses amis pour son goûter d'anniversaire. Azuro était fier de lui préparer un gâteau d'après une recette de la sorcière Pustula…

Pustula, sa nièce Morgane et Jippy le goûtèrent… et le recrachèrent.
« BEURK ! s'exclama Morgane.
— Ben alors, tu n'as pas suivi ma recette ? demanda Pustula.
— J'ai… essayé… mais je ne sais pas bien lire… balbutia le dragonneau.
— Tata, tu as une formule magique pour ça ? questionna Morgane.

— Aucun sortilège ne peut l'aider !
Savoir lire, ce n'est pas seulement
déchiffrer les mots, c'est comprendre
ce qu'on lit, expliqua Pustula.
Mais j'ai une idée », sourit-elle.

La sorcière récita devant un miroir : « À l'eau, à l'huile, réponds à ce coup de fil ! » Une tête apparut aussitôt. « Pétula, ma sœurette, aurais-tu une place pour un dragonneau qui doit apprendre à lire ?

— Bien entendu ! Amène-le au vieux chêne ! Frida viendra le chercher. »

Jippy et Azuro attendaient sous l'arbre. Une voix se fit entendre au-dessus d'eux : « Tu attends quoi pour monter, le bleu ? » Surpris, ils virent un balai géant conduit par une sorcière qui ruminait : « Encore un élève qui n'a jamais vu un balai-bus. »

Le balai filait à la vitesse de l'éclair. « Salut, je m'appelle Ipet », déclara un garçon recouvert de bandelettes. « Moi, c'est Mathilde », souffla une voix douce. Azuro regardait dans tous les sens, il ne voyait rien. « Je suis un fantôme. Prononce mon prénom et tu pourras me voir ! »

Un loup-garou se hissa sur le balai.

Il regarda le dragonneau avec dédain.

« Méfie-toi d'Hermann, c'est un bagarreur, murmura Mathilde.

— Tout le monde le craint à l'école des monstres, renchérit Ipet.

— L'école des monstres ? Je ne suis pas un monstre…, fit Azuro.

— Pour les humains, tu es un affreux dragon, cracheur de feu. Moi, une horrible momie et Mathilde, un terrible fantôme, répondit Ipet.

— Au village, on m'aime bien et je ne crache pas du...
se défendit Azuro.
— Attention à l'atterrissage ! » s'écria la sorcière.

La sorcière Pétula amena les élèves au dortoir. « Le souper sera servi à vingt heures. Ne soyez pas en retard ! » fit-elle.

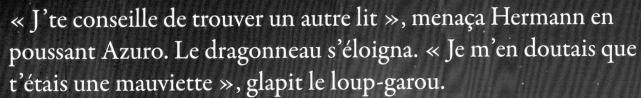

« J'te conseille de trouver un autre lit », menaça Hermann en poussant Azuro. Le dragonneau s'éloigna. « Je m'en doutais que t'étais une mauviette », glapit le loup-garou.

Azuro et Jippy n'en croyaient pas leurs yeux.
La cantine était pleine de créatures fabuleuses.
Une gargouille dévorait une pastèque tandis
qu'un cyclope dégustait des cailloux.
Des vampires étaient assis dans un coin
sombre. Tous allèrent ensuite se coucher !
À l'exception des vampires qui
étudiaient la nuit...

Dès le premier jour, Azuro apprit l'alphabet...
« Un dragon qui forme des voyelles avec de l'eau,
ce n'est pas commun ! » observa la sorcière Pétula.

Dans la classe, les réactions ne se firent pas attendre.

« Un dragon qui crache de l'eau, c'est nul ! aboya Hermann.

— Tu n'as rien à faire à l'école des monstres, ajouta Franck, son meilleur ami.

— Silence ! » ordonna la maîtresse.

Pendant les récréations, Jippy, Ipet et Mathilde changèrent les idées d'Azuro. Ils jouèrent à la bandelette à sauter et à cache-cache !

Cette nuit-là, même les vampires le divertirent.
Ils se transformèrent en chauve-souris et une
longue course-poursuite dans les airs commença…

Azuro discuta avec les trois frères aux longues canines.

« Le sang, on n'aime pas ça ! fit Vadim en tirant la langue de dégoût.

— Notre truc, c'est la tomate. En soupe ou en confiture ! ajouta Vlad.

— Arrête de me faire saliver ! sourit Victor.

— On pourrait voler sur ton dos ? demanda Vadim.

— Bien sûr ! » répondit le dragonneau.

« C'était génial, s'exclama Vlad. J'ai failli vomir mon minuit avec tes pirouettes !

— Moi aussi ! rigola Victor. Vivement la prochaine fois ! »

Azuro fila se coucher. Les cours commençaient tôt à l'école des monstres.

Hermann et Franck multipliaient les mauvais coups.
Tandis qu'Azuro lisait avec peine un poème, le loup-garou dit :
« T'as trop d'eau dans le cerveau, tu ne sauras jamais lire,
dragounet ! » Tous les élèves de la classe rigolèrent, à l'exception
d'Ipet et de Mathilde.

Azuro cacha difficilement
ses larmes. « Ne baisse pas les
pattes ! le rassura sa gentille
maîtresse. Tes efforts seront
rapidement récompensés. »

La sorcière Pétula était fière de ses progrès. Le dragonneau écrivait souvent les réponses au tableau. Les deux garnements en profitaient pour lui faire de mauvaises blagues...

$1 + 1 = 2$

$1 + 2 =$

Être punis au coin, des oreilles de « Pinpin le lapin » sur la tête, n'y changeait rien ! Les chenapans continuaient à embêter Azuro...

Un matin, Hermann s'empara d'un livre d'Azuro. « Franck, brûle ce machin qui ne sert à rien ! » Le vaurien frotta une allumette et mit le feu par mégarde à la queue du loup-garou. « Au secours ! » hurla Hermann.

Azuro propulsa une grande quantité d'eau pour éteindre les flammes. Le poil mouillé, Hermann n'avait pas fière allure.

« Alors, t'as peur du feu, la boule de poils ? ironisa Ipet.

— Ipet, ne te moque pas de lui ! déclara Azuro. C'est nul de croire qu'avoir un aspect effrayant nous oblige à être méchants ! Hermann perd une bonne occasion de se faire des amis.
Tant pis pour lui !

— C'est vrai, tu as raison... » répondit Ipet, penaud.

Un mois plus tard, pour son dernier cours, la sorcière Pétula demanda à Azuro de lire une histoire devant toute la classe. Les élèves passèrent du rire aux larmes et explosèrent de joie une fois le mot « Fin » prononcé.

De retour chez Pustula, Azuro prépara le gâteau en suivant la recette de A à Z.

« BEURKKK ! firent en chœur les deux sorcières.

— Décidément, Azuro, tu ne seras pas pâtissier, s'amusa Pustula.

— Moi, je dis qu'il sera poète ou écrivain... » dit Morgane.

« Ou bien le meilleur pompier du monde », pensa Jippy en faisant un clin d'œil à son ami.

Mes p'tits albums

la différence

la confiance

devenir autonome

l'amitié

la solidarité

devenir grand

exprimer son émotion

devenir autonome

l'acceptation de soi

l'arrivée d'un petit frère
ou d'une petite sœur

l'acceptation de soi

hygiène / santé

la peur de l'inconnu

la différence

l'obéissance

l'amitié

l'humilité

la solidarité

la peur du noir

l'entraide / l'amour

la générosité

l'entraide

la confiance en soi

la tolérance / la famille

la confiance en soi

l'autonomie / la timidité

la rivalité entre
frères et sœurs

le mensonge

l'écologie / le respect

le déménagement

l'amitié / l'entraide

la distraction

la curiosité

les bêtises

la maladie / l'amitié

la différence

la jalousie / le talent

la différence /
le voyage / la famille

naissance / anniversaire

l'entraide / l'amitié

le courage / l'entraide

l'ennui

la peur de l'inconnu /
l'amitié

le sommeil

les caprices

le mensonge

Pâques

la colère

le handicap /
la différence

Noël / l'entraide

la créativité

le mensonge

l'étourderie

l'entraide / les animaux
de la banquise

perdre une dent /
la petite souris

la gémellité /
l'entraide

l'amitié

l'aventure / l'appren-
tissage des chiffres

l'autonomie / l'école